☐ 読みたい本（記入日　.　.　）／☐ 読んだ本（読了日　.　.　）

書名

著者名

出版社

出版年

（　　　）

読みたい理由

心に残った言葉や文

感想 ☆☆☆

読書あれこれ　　記入日　.　.

□ 読みたい本（記入日　.　.　）／□ 読んだ本（読了日　.　.　）

書名

著者名

出版社

出版年

（　　　）

読みたい理由

心に残った言葉や文

感想 ☆☆☆

□ 読みたい本（記入日　.　.　）／□ 読んだ本（読了日　.　.　）

書名

著者名

出版社

出版年

（　　　）

読みたい理由

心に残った言葉や文

感想 ☆☆☆

☐ 読みたい本（記入日　．　．　）／ ☐ 読んだ本（読了日　．　．　）

書名

著者名

出版社

出版年

（　　　）

読みたい理由

心に残った言葉や文

感想 ☆☆☆

読書あれこれ　　記入日　．　．

□ 読みたい本（記入日　　.　　.　　）／ □ 読んだ本（読了日　　.　　.　　）

書名

著者名

出版社

出版年

（　　　）

読みたい理由

心に残った言葉や文

感想 ☆☆☆

□ 読みたい本（記入日　　.　　.　　）／ □ 読んだ本（読了日　　.　　.　　）

書名

著者名

出版社

出版年

（　　　）

読みたい理由

心に残った言葉や文

感想 ☆☆☆

□ 読みたい本（記入日　.　.　）／□ 読んだ本（読了日　.　.　）

書名

著者名

出版社

出版年

(　　　)

読みたい理由

心に残った言葉や文

感想 ☆☆☆

読書あれこれ　　記入日　.　.

□ 読みたい本（記入日　.　.　）／□ 読んだ本（読了日　.　.　）

書名

著者名

出版社

出版年

（　　　）

読みたい理由

心に残った言葉や文

感想 ☆☆☆

□ 読みたい本（記入日　.　.　）／□ 読んだ本（読了日　.　.　）

書名

著者名

出版社

出版年

（　　　）

読みたい理由

心に残った言葉や文

感想 ☆☆☆

□ 読みたい本（記入日　.　.　）／□ 読んだ本（読了日　.　.　）

書名

著者名

出版社

出版年

（　　　）

読みたい理由

心に残った言葉や文

感想 ☆☆☆

読書あれこれ　記入日　.　.

□ 読みたい本（記入日　.　.　）／□ 読んだ本（読了日　.　.　）

書名

著者名

出版社

出版年

（　　　）

読みたい理由

心に残った言葉や文

感想 ☆☆☆

□ 読みたい本（記入日　.　.　）／□ 読んだ本（読了日　.　.　）

書名

著者名

出版社

出版年

（　　　）

読みたい理由

心に残った言葉や文

感想 ☆☆☆

□ 読みたい本（記入日　.　.　）／□ 読んだ本（読了日　.　.　）

書名

著者名

出版社

出版年

（　　　）

読みたい理由

心に残った言葉や文

感想 ☆☆☆

読書あれこれ　記入日　.　.

☐ 読みたい本（記入日　　.　　.　　）／ ☐ 読んだ本（読了日　　.　　.　　）

書名

著者名

出版社

出版年

(　　　)

読みたい理由

心に残った言葉や文

感想 ☆☆☆

☐ 読みたい本（記入日　　.　　.　　）／ ☐ 読んだ本（読了日　　.　　.　　）

書名

著者名

出版社

出版年

(　　　)

読みたい理由

心に残った言葉や文

感想 ☆☆☆

□ 読みたい本（記入日　.　.　）／□ 読んだ本（読了日　.　.　）

書名

著者名

出版社

出版年

（　　　）

読みたい理由

心に残った言葉や文

感想 ☆☆☆

読書あれこれ

記入日　.　.

□ 読みたい本（記入日　.　.　）／□ 読んだ本（読了日　.　.　）

書名

著者名

出版社

出版年

（　　）

読みたい理由

心に残った言葉や文

感想 ☆☆☆

□ 読みたい本（記入日　.　.　）／□ 読んだ本（読了日　.　.　）

書名

著者名

出版社

出版年

（　　）

読みたい理由

心に残った言葉や文

感想 ☆☆☆

□ 読みたい本（記入日　　.　　.　　）／□ 読んだ本（読了日　　.　　.　　）

書名

著者名

出版社

出版年

（　　　　）

読みたい理由

心に残った言葉や文

感想 ☆☆☆

読書あれこれ　　記入日　　.　　.

□ 読みたい本（記入日　.　.　）／□ 読んだ本（読了日　.　.　）

書名

著者名

出版社

出版年

（　　）

読みたい理由

心に残った言葉や文

感想 ☆☆☆

□ 読みたい本（記入日　.　.　）／□ 読んだ本（読了日　.　.　）

書名

著者名

出版社

出版年

（　　）

読みたい理由

心に残った言葉や文

感想 ☆☆☆

□ 読みたい本（記入日　　.　　.　　）／□ 読んだ本（読了日　　.　　.　　）

書名

著者名

出版社

出版年

（　　　）

読みたい理由

心に残った言葉や文

感想 ☆☆☆

読書あれこれ

記入日　　.　　.

☐ 読みたい本（記入日　．　．　）／☐ 読んだ本（読了日　．　．　）

書名

著者名

出版社

出版年

（　　　）

読みたい理由

心に残った言葉や文

感想 ☆☆☆

☐ 読みたい本（記入日　．　．　）／☐ 読んだ本（読了日　．　．　）

書名

著者名

出版社

出版年

（　　　）

読みたい理由

心に残った言葉や文

感想 ☆☆☆

□ 読みたい本（記入日　．　．　）／ □ 読んだ本（読了日　．　．　）

書名

著者名

出版社

出版年

（　　　）

読みたい理由

心に残った言葉や文

感想 ☆☆☆

読書あれこれ

記入日　．　．

□ 読みたい本（記入日　．　．　）／□ 読んだ本（読了日　．　．　）

書名

著者名

出版社

出版年

（　　　）

読みたい理由

心に残った言葉や文

感想 ☆☆☆

□ 読みたい本（記入日　．　．　）／□ 読んだ本（読了日　．　．　）

書名

著者名

出版社

出版年

（　　　）

読みたい理由

心に残った言葉や文

感想 ☆☆☆

☐ **読みたい本**（記入日　　.　　.　　）／ ☐ **読んだ本**（読了日　　.　　.　　）

書名

著者名

出版社

出版年

（　　　　）

読みたい理由

心に残った言葉や文

感想 ☆☆☆

読書あれこれ　　記入日　　.　　.

□ **読みたい本**（記入日　．　．　）／□ **読んだ本**（読了日　．　．　）

書名

著者名

出版社

出版年

（　　　）

読みたい理由

心に残った言葉や文

感想 ☆☆☆

□ **読みたい本**（記入日　．　．　）／□ **読んだ本**（読了日　．　．　）

書名

著者名

出版社

出版年

（　　　）

読みたい理由

心に残った言葉や文

感想 ☆☆☆

□ **読みたい本**（記入日　.　.　）／□ **読んだ本**（読了日　.　.　）

書名

著者名

出版社

出版年

（　　　）

読みたい理由

心に残った言葉や文

感想 ☆☆☆

読書あれこれ　　記入日　.　.

☐ 読みたい本（記入日　　.　　.　　）／☐ 読んだ本（読了日　　.　　.　　）

書名

著者名

出版社

出版年

（　　　）

読みたい理由

心に残った言葉や文

感想 ☆☆☆

☐ 読みたい本（記入日　　.　　.　　）／☐ 読んだ本（読了日　　.　　.　　）

書名

著者名

出版社

出版年

（　　　）

読みたい理由

心に残った言葉や文

感想 ☆☆☆

☐ 読みたい本（記入日　　.　　.　　）／ ☐ 読んだ本（読了日　　.　　.　　）

書名

著者名

出版社

出版年

（　　　　）

読みたい理由

心に残った言葉や文

感想 ☆☆☆

読書あれこれ　　記入日　　.　　.

□ 読みたい本（記入日　.　.　）／□ 読んだ本（読了日　.　.　）

書名

著者名

出版社

出版年

（　　）

読みたい理由

心に残った言葉や文

感想 ☆☆☆

□ 読みたい本（記入日　.　.　）／□ 読んだ本（読了日　.　.　）

書名

著者名

出版社

出版年

（　　）

読みたい理由

心に残った言葉や文

感想 ☆☆☆

□ 読みたい本（記入日　.　.　）／□ 読んだ本（読了日　.　.　）

書名

著者名

出版社

出版年

（　　　）

読みたい理由

心に残った言葉や文

感想 ☆☆☆

読書あれこれ　記入日　.　.

□ **読みたい本**（記入日　　.　　.　　）／□ **読んだ本**（読了日　　.　　.　　）

書名

著者名

出版社

出版年

（　　　）

読みたい理由

心に残った言葉や文

感想 ☆☆☆

□ **読みたい本**（記入日　　.　　.　　）／□ **読んだ本**（読了日　　.　　.　　）

書名

著者名

出版社

出版年

（　　　）

読みたい理由

心に残った言葉や文

感想 ☆☆☆

☐ **読みたい本**（記入日　　.　　.　　）／ ☐ **読んだ本**（読了日　　.　　.　　）

書名

著者名

出版社

出版年

（　　　　）

読みたい理由

心に残った言葉や文

感想 ☆☆☆

読書あれこれ

記入日　　.　　.

□ 読みたい本（記入日　　.　　.　　）／ □ 読んだ本（読了日　　.　　.　　）

書名

著者名

出版社

出版年

（　　　）

読みたい理由

心に残った言葉や文

感想 ☆☆☆

□ 読みたい本（記入日　　.　　.　　）／ □ 読んだ本（読了日　　.　　.　　）

書名

著者名

出版社

出版年

（　　　）

読みたい理由

心に残った言葉や文

感想 ☆☆☆

☐ 読みたい本（記入日　　.　　.　　）／ ☐ 読んだ本（読了日　　.　　.　　）

書名

著者名

出版社

出版年

（　　　　）

読みたい理由

心に残った言葉や文

感想 ☆☆☆

読書あれこれ　　記入日　　.　　.

□ 読みたい本（記入日　.　.　）／ □ 読んだ本（読了日　.　.　）

書名

著者名

出版社

出版年

（　　　）

読みたい理由

心に残った言葉や文

感想 ☆☆☆

□ 読みたい本（記入日　.　.　）／ □ 読んだ本（読了日　.　.　）

書名

著者名

出版社

出版年

（　　　）

読みたい理由

心に残った言葉や文

感想 ☆☆☆

☐ 読みたい本（記入日　　.　　.　　）／☐ 読んだ本（読了日　　.　　.　　）

書名

著者名

出版社

出版年

（　　　　）

読みたい理由

心に残った言葉や文

感想 ☆☆☆

読書あれこれ　　記入日　　.　　.

☐ 読みたい本（記入日　.　.　）／☐ 読んだ本（読了日　.　.　）

書名

著者名

出版社

出版年

(　　　)

読みたい理由

心に残った言葉や文

感想 ☆☆☆

☐ 読みたい本（記入日　.　.　）／☐ 読んだ本（読了日　.　.　）

書名

著者名

出版社

出版年

(　　　)

読みたい理由

心に残った言葉や文

感想 ☆☆☆

☐ 読みたい本（記入日　　.　　.　　）／☐ 読んだ本（読了日　　.　　.　　）

書名

著者名

出版社

出版年

（　　　　）

読みたい理由

心に残った言葉や文

感想 ☆☆☆

読書あれこれ　　　　記入日　　.　　.

□ 読みたい本（記入日　．　．　）／□ 読んだ本（読了日　．　．　）

書名

著者名

出版社

出版年

（　　　）

読みたい理由

心に残った言葉や文

感想 ☆☆☆

□ 読みたい本（記入日　．　．　）／□ 読んだ本（読了日　．　．　）

書名

著者名

出版社

出版年

（　　　）

読みたい理由

心に残った言葉や文

感想 ☆☆☆

□ 読みたい本（記入日　.　.　）／□ 読んだ本（読了日　.　.　）

書名

著者名

出版社

出版年

(　　　)

読みたい理由

心に残った言葉や文

感想 ☆☆☆

読書あれこれ

記入日　.　.

□ 読みたい本（記入日　.　.　）／ □ 読んだ本（読了日　.　.　）

書名

著者名

出版社

出版年

(　　　)

読みたい理由

心に残った言葉や文

感想 ☆☆☆

□ 読みたい本（記入日　.　.　）／ □ 読んだ本（読了日　.　.　）

書名

著者名

出版社

出版年

(　　　)

読みたい理由

心に残った言葉や文

感想 ☆☆☆

□ 読みたい本（記入日　.　.　）／□ 読んだ本（読了日　.　.　）

書名

著者名

出版社

出版年

（　　　）

読みたい理由

心に残った言葉や文

感想 ☆☆☆

読書あれこれ　記入日　.　.

□ 読みたい本（記入日　.　.　）／□ 読んだ本（読了日　.　.　）

書名

著者名

出版社

出版年

（　　　）

読みたい理由

心に残った言葉や文

感想 ☆☆☆

□ 読みたい本（記入日　.　.　）／□ 読んだ本（読了日　.　.　）

書名

著者名

出版社

出版年

（　　　）

読みたい理由

心に残った言葉や文

感想 ☆☆☆

☐ 読みたい本（記入日　.　.　）／ ☐ 読んだ本（読了日　.　.　）

書名

著者名

出版社

出版年

（　　　）

読みたい理由

心に残った言葉や文

感想 ☆☆☆

読書あれこれ　記入日　.　.

☐ 読みたい本（記入日　．　．　）／☐ 読んだ本（読了日　．　．　）

書名

著者名

出版社

出版年

（　　　）

読みたい理由

心に残った言葉や文

感想 ☆☆☆

☐ 読みたい本（記入日　．　．　）／☐ 読んだ本（読了日　．　．　）

書名

著者名

出版社

出版年

（　　　）

読みたい理由

心に残った言葉や文

感想 ☆☆☆

☐ **読みたい本**（記入日　．　．　）／☐ **読んだ本**（読了日　．　．　）

書名

著者名

出版社

出版年

（　　　）

読みたい理由

心に残った言葉や文

感想 ☆☆☆

読書あれこれ　記入日　．　．

☐ 読みたい本（記入日　.　.　）／ ☐ 読んだ本（読了日　.　.　）

書名

著者名

出版社

出版年

(　　　)

読みたい理由

心に残った言葉や文

感想 ☆☆☆

☐ 読みたい本（記入日　.　.　）／ ☐ 読んだ本（読了日　.　.　）

書名

著者名

出版社

出版年

(　　　)

読みたい理由

心に残った言葉や文

感想 ☆☆☆

☐ 読みたい本（記入日　　.　　.　　）／ ☐ 読んだ本（読了日　　.　　.　　）

書名

著者名

出版社

出版年

（　　　　）

読みたい理由

心に残った言葉や文

感想 ☆☆☆

読書あれこれ　　記入日　　.　　.

☐ 読みたい本（記入日　.　.　）／☐ 読んだ本（読了日　.　.　）

書名

著者名

出版社

出版年

(　　　)

読みたい理由

心に残った言葉や文

感想 ☆☆☆

☐ 読みたい本（記入日　.　.　）／☐ 読んだ本（読了日　.　.　）

書名

著者名

出版社

出版年

(　　　)

読みたい理由

心に残った言葉や文

感想 ☆☆☆

□ 読みたい本（記入日　　.　　.　　）／ □ 読んだ本（読了日　　.　　.　　）

書名

著者名

出版社

出版年

（　　　）

読みたい理由

心に残った言葉や文

感想 ☆☆☆

読書あれこれ　　記入日　　.　　.

☐ 読みたい本（記入日　．　．　）／☐ 読んだ本（読了日　．　．　）

書名

著者名

出版社

出版年

(　　　)

読みたい理由

心に残った言葉や文

感想 ☆☆☆

☐ 読みたい本（記入日　．　．　）／☐ 読んだ本（読了日　．　．　）

書名

著者名

出版社

出版年

(　　　)

読みたい理由

心に残った言葉や文

感想 ☆☆☆

□ 読みたい本（記入日　.　.　）／□ 読んだ本（読了日　.　.　）

書名

著者名

出版社

出版年

（　　　）

読みたい理由

心に残った言葉や文

感想 ☆☆☆

読書あれこれ

記入日　.　.

□ 読みたい本（記入日　.　.　）／□ 読んだ本（読了日　.　.　）

書名

著者名

出版社

出版年

（　　）

読みたい理由

心に残った言葉や文

感想 ☆☆☆

□ 読みたい本（記入日　.　.　）／□ 読んだ本（読了日　.　.　）

書名

著者名

出版社

出版年

（　　）

読みたい理由

心に残った言葉や文

感想 ☆☆☆

☐ 読みたい本（記入日　　．　．　）／☐ 読んだ本（読了日　　．　．　）

書名

著者名

出版社

出版年

（　　　）

読みたい理由

心に残った言葉や文

感想 ☆☆☆

読書あれこれ　　記入日　　．　．

☐ 読みたい本（記入日　.　.　）／☐ 読んだ本（読了日　.　.　）

書名

著者名

出版社

出版年

（　　　）

読みたい理由

心に残った言葉や文

感想 ☆☆☆

☐ 読みたい本（記入日　.　.　）／☐ 読んだ本（読了日　.　.　）

書名

著者名

出版社

出版年

（　　　）

読みたい理由

心に残った言葉や文

感想 ☆☆☆

□ 読みたい本（記入日　.　.　）／□ 読んだ本（読了日　.　.　）

書名

著者名

出版社

出版年

（　　　）

読みたい理由

心に残った言葉や文

感想 ☆☆☆

読書あれこれ　記入日　.　.

□ 読みたい本（記入日　．　．　）／□ 読んだ本（読了日　．　．　）

書名

著者名

出版社

出版年

（　　　）

読みたい理由

心に残った言葉や文

感想 ☆☆☆

□ 読みたい本（記入日　．　．　）／□ 読んだ本（読了日　．　．　）

書名

著者名

出版社

出版年

（　　　）

読みたい理由

心に残った言葉や文

感想 ☆☆☆

□ 読みたい本（記入日　　.　　.　　）／ □ 読んだ本（読了日　　.　　.　　）

書名

著者名

出版社

出版年

（　　　　）

読みたい理由

心に残った言葉や文

感想 ☆☆☆

読書あれこれ　　記入日　　.　　.

☐ 読みたい本（記入日　．　．　）／☐ 読んだ本（読了日　．　．　）

書名

著者名

出版社

出版年

（　　　）

読みたい理由

心に残った言葉や文

感想 ☆☆☆

☐ 読みたい本（記入日　．　．　）／☐ 読んだ本（読了日　．　．　）

書名

著者名

出版社

出版年

（　　　）

読みたい理由

心に残った言葉や文

感想 ☆☆☆

☐ **読みたい本**（記入日　.　.　）／☐ **読んだ本**（読了日　.　.　）

書名

著者名

出版社

出版年

（　　　）

読みたい理由

心に残った言葉や文

感想 ☆☆☆

読書あれこれ　　記入日　.　.

□ 読みたい本（記入日　.　.　）／□ 読んだ本（読了日　.　.　）

書名

著者名

出版社

出版年

（　　）

読みたい理由

心に残った言葉や文

感想 ☆☆☆

□ 読みたい本（記入日　.　.　）／□ 読んだ本（読了日　.　.　）

書名

著者名

出版社

出版年

（　　）

読みたい理由

心に残った言葉や文

感想 ☆☆☆

□ **読みたい本**（記入日　．　．）／□ **読んだ本**（読了日　．　．）

書名

著者名

出版社

出版年

（　　）

読みたい理由

心に残った言葉や文

感想 ☆☆☆

読書あれこれ　記入日　．　．

□ 読みたい本（記入日　.　.　）／□ 読んだ本（読了日　.　.　）

書名

著者名

出版社

出版年

（　　）

読みたい理由

心に残った言葉や文

感想 ☆☆☆

□ 読みたい本（記入日　.　.　）／□ 読んだ本（読了日　.　.　）

書名

著者名

出版社

出版年

（　　）

読みたい理由

心に残った言葉や文

感想 ☆☆☆

□ **読みたい本**（記入日　.　.　）／□ **読んだ本**（読了日　.　.　）

書名

著者名

出版社

出版年

（　　　）

読みたい理由

心に残った言葉や文

感想 ☆☆☆

読書あれこれ

記入日　.　.

☐ 読みたい本（記入日　．　．　）／☐ 読んだ本（読了日　．　．　）

書名

著者名

出版社

出版年

（　　）

読みたい理由

心に残った言葉や文

感想 ☆☆☆

☐ 読みたい本（記入日　．　．　）／☐ 読んだ本（読了日　．　．　）

書名

著者名

出版社

出版年

（　　）

読みたい理由

心に残った言葉や文

感想 ☆☆☆